Alana
Seren y Ddawns

Mae Arlene Phillips yn fyd-enwog am gyfarwyddo a choreograffu sioeau cerdd, fideos, ffilmiau a 'sioeau syfrdanol' (*spectaculars*) ar y teledu. Gwelwyd ei dawnsfeydd dychmygus yn y sioeau cerdd *Grease, We Will Rock You, Starlight Express, The Sound of Music, Flashdance* a'r *Wizard of Oz*. Mae ei gwaith sgrin yn cynnwys y ffilmiau *Annie* a *Legend*, a sioeau teledu megis *DanceX* a *Britannia High*. Ymysg y sêr a fu'n cymryd rhan yn ei fideos mae Robbie Williams, Elton John, Whitney Houston a Tina Turner. Ei sioe syfrdanol fwyaf oedd yr un ar gyfer 17fed Gêmau'r Gymanwlad. Mae'n enwog am fod yn gyn-feirniad ar *Strictly Come Dancing* ac, erbyn hyn, ar *So You Think You Can Dance?* Ei hoff waith, fodd bynnag, yw bod yn fam i'w dwy ferch, Alana ac Abi.

1. Samba Syfrdanol
2. America!
3. Gwisg Felen
4. Bollywood Amdani!

Argraffiad cyntaf: 2011

ⓗ addasiad Cymraeg: Emily Huws 2011

Rhif rhyngwladol: 978-1-84527-314-9

Teitl gwreiddiol: *Samba Spectacular*

Mae'r cyhoeddwyr yn cydnabod cefnogaeth ariannol
Cyngor Llyfrau Cymru.

Cyhoeddwyd yn wreiddiol yn Saesneg yn 2010 gan
Faber and Faber Limited, Bloomsbury House,
74–77 Great Russell Street, Llundain WC1B 3DA

© Testun a darluniau: Arlene Phillips 2010
Darluniau gan Pixie Potts
Cyhoeddwyd yn Gymraeg gan Wasg Carreg Gwalch,
12 Iard yr Orsaf, Llanrwst, Conwy LL26 0EH.
e-bost: llyfrau@carreg-gwalch.com
lle ar y we: www.carreg-gwalch.com

Argraffwyd a chyhoeddwyd yng Nghymru.

Alana
Seren y Ddawns

Samba Syfrdanol

Arlene Phillips

addasiad Emily Huws

Darluniau gan Pixie Potts

Fflur Haf

Keisha

Math

Indeg

Criw Stiwdio Stepio

Alana

Meena

Cadi

Trystan

I Abi, sydd bob amser
wedi fy ysbrydoli

'Alana'n methu dawnsio! Alana'n
methu dawnsio!'

Trodd Alana i weld o ble roedd y
llais sbeitlyd yn dod. Bron iddi syrthio
ar ei sodlau samba.

Yna gwelodd ei chwaer fach yn
sbecian rownd drws cilagored ei
hystafell wely. 'Abi!' gwaeddodd.

Roedd Alana wedi bod yn gwneud ei
gorau glas i gael y patrwm dawnsio'n
iawn ar gyfer perfformio'r samba

mewn sioe ddawns y penwythnos nesaf. Ond wrth ymarfer, roedd hi'n gwneud mwy a mwy o wallau. A rŵan, roedd Abi Annifyr yn chwerthin am ei phen, ac yn gwneud pethau'n waeth fyth.

'Awtsh!' sgrechiodd Abi wrth i'r drws agor a tharo'i thalcen.

'Mam! Mam!' gwaeddodd. 'Mae Alana wedi 'nharo i efo'r drws!'

'Damwain oedd hi!' bloeddiodd Alana. 'A ddylet ti ddim bod yn cuddio y tu ôl iddo'n busnesu, na ddylet?'

'Genod,' crefodd llais blinedig o waelod y grisiau. 'Dwi newydd ddod adre ar ôl gweithio am ddeuddeg awr yn y caffi. Mae gen i andros o gur yn fy mhen. Dwi angen tipyn bach o heddwch.'

'Ond Mam, ro'n i'n meddwl dy fod

ti'n gwneud gwisg i mi ar gyfer y sioe!' meddai Alana.

'O, Alana, mae'n ddrwg gen i. Anghofiais i'r cyfan am y wisg.'

Roedd Alana'n teimlo'n andros o siomedig. Sioe o'r enw *Lladin Syfrdanol* gan ei hysgol ddawnsio, Stiwdio Stepio, oedd hi. Bu hi a'i mam yn prynu defnydd gwyrddlas godidog, a'i mam wedi addo gwneud gwisg samba iddi. Sut *medrai* hi fod wedi anghofio? Doedd bosib nad oedd Mam yn gwybod pa mor bwysig oedd dawnsio iddi?

Eisteddodd Alana ar ben y grisiau a'i phen yn ei dwylo. 'Mae'n rhy hwyr i wneud gwisg erbyn y sioe bellach, yn tydi?' gofynnodd, yn ceisio cadw'i llais rhag crynu.

'Ydi, mae ana i ofn,' meddai Mam.

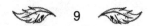

'Mae'n rhaid i mi astudio ar gyfer yr arholiad cyfrifiadur heno, a dwi'n gweithio drwy'r dydd fory.'

'Felly, gawn ni fynd allan i *brynu* gwisg i mi? Un wedi'i gwneud yn barod? Os gweli di'n dda!' crefodd Alana.

'Sut wyt ti'n meddwl y medrwn ni fforddio gwneud hynny?' gofynnodd Mam, wedi gwylltio. 'Wir, Alana, mi fasa rhywun yn meddwl bod dy ddawnsio hurt di'n bwysicach na dim byd arall. Dwi'n gweithio oriau hir, yn ceisio gofalu amdanoch chi'ch dwy, a'r unig beth ar dy feddwl di ydi dillad samba a stepiau tango, symudiadau jazz a bale. Beth am i ti ganolbwyntio mwy ar bethau pwysicach, fel fy helpu i o gwmpas y tŷ? Ella'i bod yn bryd i ti roi'r gorau i'r dosbarthiadau dawnsio!'

'Mae hanner f'amser i'n mynd i ofalu am Abi yn barod,' meddai Alana o dan ei gwynt. Doedd hi ddim yn meiddio'i ddweud yn ddigon uchel i'w mam glywed. Aeth yn ôl i'w llofft, clepio'r drws ar gau a lluchio'i hun ar y gwely gan feichio crio. Doedd bosib, *doedd bosib* y byddai Mam yn gwneud iddi roi'r gorau i ddawnsio?

Toc, wedi iddi dawelu tipyn, rowliodd ar ei chefn a syllu o amgylch ei hystafell. Byddai gweld y lluniau o'r gwahanol fathau o ddawnsio bob amser yn gwneud iddi deimlo'n well. Uwchben ei gwely roedd poster mawr o ddawnsio bale. Ar y waliau roedd

llun o'i hoff fand, TJS, yn dawnsio, un
arall o ddau'n dawnsio'r tango ac un
roedd hi wedi'i gael ar ôl bod yn
gweld y sioe gerdd *Billy Elliot*.

Doedd ystafell Alana ddim yn fawr
iawn, ond roedd hi'n llwyddo i ymarfer
yno. Ers tro byd roedd hi wedi codi'r
carped er mwyn cael llawr caled i
ddawnsio arno. Roedd braidd yn

anwastad ac ôl traul arno, ond roedd
yn well na bod heb le o gwbl.

Rowliodd Alana ar ei hochr a
phwyso ar un penelin. Ar silff wrth ei
gwely, wedi'u gosod yn daclus, roedd
y cwpanau a'r tlysau roedd hi wedi'u
hennill mewn cystadlaethau dawnsio.
Ar y wal uwch eu pen, wedi'u fframio,
roedd yr holl dystysgrifau a enillodd

yn yr arholiadau dawnsio. Roedd hi
wedi bod wrthi er pan oedd hi'n
bedair oed. Ar ei bwrdd gwisgo roedd
ffan fflamenco Sbaenaidd hardd roedd
wedi cael hyd iddi mewn marchnad. Ar
gefn y drws roedd lle i gadw'i
hesgidiau bale, a'i hesgidiau dawnsio
tap, jazz a samba. Rhai ail-law oedd y
rhan fwyaf ohonyn nhw gan fod
esgidiau dawnsio newydd yn llawer
rhy ddrud.

Cydiodd Alana yn ei thrysor mwyaf
arbennig: bocs tlysau roedd ei modryb
wedi'i brynu iddi pan oedd ar wyliau
yn Awstria. Roedd sidan pinc a darnau
bach arian, gloyw drosto. Pan fyddai'n
ei weindio ac yn agor y caead, gwibiai
pâr o ddawnswyr rownd a rownd.
Gwyliodd Alana nhw'n waltsio, a
llithrodd i'w breuddwyd dawnsio bach

ei hun. Ar hynny, daeth cnoc fach ysgafn ar y drws.

'Pwy sy 'na?' galwodd Alana.

'O, chdi sy 'na,' meddai, pan ddaeth wyneb crwn Abi i'r golwg. 'Wedi dod i sbeitio mwy arna i wyt ti?'

'Wedi dod i ddweud bod yn ddrwg gen i,' atebodd Abi. 'A dwi'n meddwl ei fod o'n *ofnadwy* na chei di ddim gwisg samba ar gyfer dy sioe. A dwi wir, wir, *wir* yn gobeithio na fydd Mam yn gwneud i ti roi'r gorau i ddawnsio, achos dwi'n gwybod mai dyna dy hoff beth yn y byd i gyd.'

'Diolch, Abi,' meddai Alana, yn pwyntio at y lle gwag wrth ei hochr ar y gwely. Daeth Abi i eistedd yno a

swatio'i phen ar ysgwydd ei chwaer.
Rhoddodd Alana ei breichiau amdani.
Dydi hi ddim yn ddrwg i gyd, mae'n

debyg, meddyliodd. Ar
hynny, canodd cloch y
drws, a rhedodd Alana i
lawr y grisiau i'w agor. Ei
ffrind gorau, Meena, a'i
thad oedd yno, wedi dod
i fynd â hi i Stiwdio
Stepio i ymarfer ar gyfer
y sioe. Bu bron i Alana
hedfan allan drwy'r drws
ond cofiodd weiddi 'Dwi'n mynd!' cyn
diflannu.

'Be sy'n bod?' gofynnodd Meena
wrth i Alana ddod i mewn i'r car. 'Ti'n
edrych fel petait ti wedi bod yn crio,'
sibrydodd – rhag i'w thad glywed.

Roedd Alana wastad yn medru

dweud popeth wrth Meena. 'Mam, fel arfer,' atebodd. 'Mae hi wedi anghofio gwneud gwisg samba i mi. Ac yn waeth fyth, mae hi'n dweud ella y bydd raid i mi roi'r gorau i ddawnsio am byth.'

'O, na!' ebychodd Meena, yn llawn cydymdeimlad. 'Mae hynna'n ofnadwy!'

'Mi fydda i'n edrych yn hurt yn y sioe fory – yn dawnsio yn fy leotard a hen sgert ddu. Yn arbennig gan y bydd gan 'rhen drwyn 'na, Indeg, wisg grand wedi'i gwneud yn arbennig iddi hi.'

'Ond y dawnsio sy'n bwysig,' meddai Meena.

'Wel, dydi hynny'n ddim cysur,' atebodd Alana. 'Dwi wedi bod yn ymarfer y samba am oriau yn f'ystafell, a dydi'r holl newidiadau yn y rhythm byth yn iawn. Wn i ddim be sy'n bod arna i!'

Ond doedd dim amser i gwyno rhagor, gan fod tad Meena newydd stopio'r car y tu allan i Stiwdio Stepio. 'Allan â chi, genod! Hwyl fawr i chi!' meddai, heb wybod dim am y ddrama fu'n digwydd yn y sedd gefn!

Pennod 2

'Wrth i Alana a Meena gerdded i mewn i'r ystafell ymarfer, daeth ton enfawr o sŵn i'w cyfarfod. Roedd y lle'n berwi o gyffro a phawb yn uchel eu cloch yn trafod y sioe. Rhedodd y ddwy i ymuno â'r lleill, gan gychwyn yr ymarferion cynhesu wrth sgwrsio.

Ond yn sydyn, aeth pobman yn dawel wrth i eneth efo gwallt tonnog ffrwydro i mewn i'r ystafell. Baglodd ar draws ei thraed ei hun, sglefrio ar

 19

draws y llawr a glanio wrth draed
geneth dal, denau.

'O, 'rargol, ddrwg gen i! Tydw i'n
flêr!' meddai'r eneth newydd, yn cochi
at ei chlustiau ac yn chwerthin yn braf.
'Cadi ydw i, gyda llaw.'

'Indeg ydw i,' atebodd yr eneth dal,
yn edrych i lawr ei thrwyn ar Cadi.

'O! Dyna wisg hardd,' meddai Cadi,
gan edrych ar wisg samba oren ac aur
brydferth Indeg. 'Mae hi bron mor
hardd â chdi!'

Ond ni thrafferthodd Indeg i'w
hateb. Roedd hi eisoes wedi troi i
siarad efo bachgen gwallt tywyll.
Edrychai'r bachgen braidd yn
anghyfforddus, fel petai'n ceisio
ymddiheuro i Cadi.

Aeth Alana draw ati a rhoi help llaw
iddi godi. Roedd hi ar fin dweud

rhywbeth i'w chysuro trwy egluro bod Indeg wastad yn annifyr, pan sylweddolodd fod Cadi'n wên o glust i glust o hyd. Doedd hi ddim fel petai wedi sylwi ar ymddygiad Indeg.

Felly cynigiodd Alana ddangos y lle i gyd i Cadi cyn i'r dosbarth gychwyn.

Syllodd Cadi o'i chwmpas; sylwodd ar lawr coed, llyfn, tywyll y stiwdio, a'r drychau hir ar hyd y waliau i gyd. Dangosodd Alana y bar roedden nhw'n ei ddefnyddio yn y dosbarth bale. Wedyn aeth y ddwy i weld gweddill yr adeilad.

'Tydi Indeg yn dlws!' meddai Cadi wrth iddyn nhw gerdded allan o'r brif ystafell ymarfer. Cododd Alana ei hysgwyddau, heb ddweud gair.

'A phwy oedd y pishyn 'na? Yr hogyn gwallt tywyll oedd efo hi?' holodd Cadi.

'O, Math ydi hwnna,' meddai Alana, dipyn yn fwy brwdfrydig. 'Fo ydi'r dawnsiwr gorau sy gynnon ni. Mae Indeg yn llwyddo i'w gael o'n bartner bob tro, yn anffodus.'

Dangosodd Alana y cwpwrdd offer llwyfan, a hwnnw'n llawn dop o bopeth oedd ei angen ar gyfer gwahanol fathau o ddawnsio: rubanau a sgarffiau plu, ffyn a hetiau silc,

rhaffau sgipio a choronau o flodau
ffug.

Safodd Cadi yno yn syllu'n syn ar
bopeth. 'Ty'd 'laen,' meddai Alana.
Cydiodd yn ei braich a'i thynnu draw
gan gau drws y cwpwrdd y tu ôl iddi.
'Mi ddangosa i'r ystafelloedd newid i
ti.'

'Mae gan bawb ei locer ei hun,'
eglurodd gan ddangos un ar ben y
rhes. 'Mae hwn yn wag,' meddai. 'Pam
na roi di dy bethau ynddo fo?'

Wrth hongian ei chôt, gofynnodd
Cadi sut un oedd Fflur Haf, yr athrawes
ddawnsio.

'Mae hi'n disgwyl i bawb weithio'n
galed,' atebodd Alana. 'Ac mae hi'n
gallu bod yn gas iawn os na fydd
rhywun yn trio'i orau. Ond wir, mae
hi'n glên iawn. Dwi'n ei hoffi hi. Ac

mae'n edrych yn hardd bob amser.'

'Ydi,' ochneidiodd Cadi. 'Welais i hi pan ddois i am glyweliad. 'Swn i'n hoffi bod mor dlws â hi.'

'Ty'd 'laen,' meddai Alana. 'Well i ni fynd yn ôl i'r ystafell ymarfer – mi fyddwn ni'n dechrau mewn munud.'

Fel roedden nhw'n mynd heibio i Indeg, clywodd Alana hi'n sibrwd wrth un o'r genethod eraill, 'Glywsoch chi fod 'na eneth newydd? Bynsan maen nhw'n ei galw hi!'

Gwridodd Alana'n ddig wrth glywed Indeg yn lladd ar Cadi. Edrychodd ar Cadi, ond doedd hi ddim fel petai wedi clywed.

Clap! Clap! Clap! Tawelodd pawb ar unwaith. Safai Fflur Haf yn y tu blaen yn curo'i dwylo. Roedd yn barod i ddechrau. Edrychai'n ffasiynol fel arfer,

ei gwallt golau sidanaidd wedi'i rannu yn y canol a'i glymu'n ôl. Gwisgai gardigan fer ddu, a sgert samba ddu, smart.

'Gwrandewch, bawb,' meddai hi. 'Dyma ein hymarfer olaf cyn y sioe, felly dwi am i bawb ganolbwyntio, a *dim* camgymeriadau!' Gwenodd ac ychwanegu, 'Cofiwch, bawb, mai dawns carnifal Brasil ydi'r samba, felly dwi am weld pawb yn llawn egni a bwrlwm! Dychmygwch mai mewn carnifal ym Mrasil rydach chi!'

Trystan oedd partner Alana. Roedd yntau'n un ar ddeg oed, ac wedi dechrau yn Stiwdio Stepio o'i blaen hi.

Ond roedd yn casáu dod yno. Byddai'n well o lawer ganddo fod yn sglefrfyrddio efo'i ffrindiau. Doedd ganddo ddim diddordeb o gwbl mewn dawnsio.

Fedrai Alana yn ei byw gael curiad cymhleth y samba yn iawn. 'Dowch, genod, defnyddiwch eich cluniau!' galwodd Fflur Haf. 'Gwnewch i'ch traed ddweud y stori! Cerddwch i mewn i'r troadau!' Ond ni fedrai Alana ganolbwyntio. Roedd hi'n meddwl am y defnydd hyfryd gartref na fyddai byth yn cael ei wnïo'n wisg. Ac, yn waeth fyth, ei mam yn bygwth y byddai'n rhaid iddi roi'r gorau i ddawnsio.

Doedd Trystan ddim hyd yn oed yn gwneud ymdrech. Edrychai'n surbwch drwy'r adeg a doedd o'n gwneud dim

byd ond cerdded
y stepiau. Gwnai
hynny hi'n
anoddach fyth i
Alana greu'r
symudiad

bownsio oedd ei angen arni.

Roedd mam Trystan wedi bod yn
dawnsio'n broffesiynol cyn iddi frifo'i
phen-glin a methu dal ati. Felly roedd
hi'n benderfynol y dylai rhywun arall
o'r teulu gario'r traddodiad yn ei flaen.
Doedd hi erioed wedi hyd yn oed
ystyried ai dyna oedd Trystan ei hun
eisiau ei wneud.

Druan o Trystan yn gorfod bod yma
yn erbyn ei ewyllys, meddyliodd Alana.
Ond o leia mi fedrai o wneud tipyn
bach o ymdrech i arwain – er fy mwyn
i. Ond gwyddai y byddai'n well gan

Trystan ddawnsio efo Meena. Dyna'r unig adeg y byddai'n gwneud mwy o ymdrech.

Wrth i bawb wisgo'u cotiau amdanynt ar ddiwedd y dosbarth, tynnodd yr athrawes Alana i un ochr. 'Be sy'n bod, Alana?' gofynnodd yn chwyrn, er bod golwg garedig yn ei llygaid. 'Roeddet ti ar chwâl yn llwyr heno.'

Doedd gan Alana ddim awydd siarad o gwbl. 'Wedi blino ydw i, debyg,' atebodd. 'Mae'n rhaid i mi fynd. Mae tad Meena'n aros amdana i.' A rhuthrodd allan drwy'r drws cyn i Fflur Haf gael cyfle i ddweud rhagor.

Pennod 3

Y diwrnod wedyn, cerddodd Alana i'r ysgol fel petai hi mewn breuddwyd. Sgipiai Abi wrth ei hochr yn sgwrsio fel melin bupur, heb gau'i cheg o gwbl. Atebai Alana 'Ie,' neu 'Nage,' yn hollol beiriannol. Doedd hi ddim yn gwrando'n iawn. Hyd yn oed os bydd Mam yn gadael i mi ddal ati i ddawnsio, meddyliodd, ella na fydd Fflur Haf f'eisio i yn ei dosbarthiadau os bydda i'n dawnsio mor wael yn y sioe ag o'n i yn yr ymarfer ddoe.'

Roedd Fflur Haf yn gadael i Alana ddod i Stiwdio Stepio heb dalu gan na fedrai ei mam fforddio'r ffioedd. Credai'r athrawes fod Alana'n ddigon talentog i gael lle yno. Ond roedd Alana'n poeni byth a hefyd y byddai'n newid ei meddwl.

Am ei bod yn poeni gymaint, doedd Alana ddim yn edrych i ble roedd hi'n mynd. Yn sydyn, trawodd yn erbyn geneth dal efo gwallt coch tywyll, oedd yn cerdded i'w chyfarfod gyda

chriw o ffrindiau. 'Mae'n
ddrwg gen i!'
ymddiheurodd Alana ar
unwaith. Yna gwelodd pwy
roedd hi wedi'i tharo.
Indeg! Indeg, oedd ar ei
ffordd i Ysgol Breifat
Primula yn ei gwisg grand –
tiwnig borffor a gwyrdd,
sanau gwyrdd, tei borffor,
côt efo streipiau porffor a
gwyrdd, a beret melfaréd
gwyrdd.

'Dyma'r eneth ro'n i'n sôn
amdani!' sgrechiodd Indeg
wrth ei ffrindiau. 'Yr un
mae ei mam yn methu fforddio talu
am ei gwersi dawnsio! Yr un efo dwy
droed chwith sy'n rhy drwsgl i
gerdded yn syth ar hyd y palmant, heb

sôn am ddawnsio!' Dechreuodd y genethod eraill biffian chwerthin.

A'r munud hwnnw, dyna Indeg yn cael ei tharo yn ei bol gan greadur bychan, ffyrnig: Abi! Dychrynodd

Indeg am ei bywyd wrth i Abi
ddechrau gweiddi arni.

'Paid ti â meiddio siarad fel'na efo fy
chwaer i, yr hen hulpan wirion!'
bloeddiodd. 'Fetia i ei bod hi'n medru
dawnsio fil gwaith gwell na chdi! *Ac*
mae gan ein mam ni digonedd o bres,
ond mae hi'n ei gadw fo er mwyn
mynd â ni i Disneyland!'

Wrth glywed hynny, dechreuodd
genethod Ysgol Breifat Primula
chwerthin yn uwch fyth.

'Abi!' crefodd Alana, yn ei llusgo
draw. 'Ty'd 'laen! Fyddwn ni'n hwyr!'

'Trio helpu o'n i!' meddai Abi wrth
iddyn nhw gerdded yn eu blaenau.

'Wn i,' meddai Alana. 'Ac roeddet ti'n
glên iawn yn f'amddiffyn i. Ond bydd
Indeg yn waeth fyth rŵan, er y baset
ti'n meddwl y byddai ganddi hi ormod

o gywilydd i fod yn gas, a hithau'n gwisgo'r hen ddillad ysgol gwirion 'na!'

Aeth pethau o ddrwg i waeth ar ôl i Alana gyrraedd Ysgol Gynradd Pen-y-bont. Gwyddoniaeth a mathemateg oedd y gwersi cyntaf – ei chas bynciau. Gwnaeth ei gorau i ganolbwyntio, ond wnaeth hi ddim byd ond sgriblan a syllu allan drwy'r ffenest. Roedd Mrs Bailey'n iawn ond i rywun wneud ei orau, ond byddai'n flin pan fyddai plant ddim yn gwrando.

'Alana!' meddai, yn taro'i desg gan wneud iddi neidio mewn braw. 'Dwi'n gweld dy fod ti wedi bod yn sgwennu'r ateb i'r broblem osodais i. Gad i mi weld.'

Cydiodd yn llyfr Alana, ond yr unig

beth oedd ar y dudalen oedd lluniau o
ddawnswyr yn gwneud gwahanol
gamau samba.

Cododd aeliau Mrs Bailey. 'Efallai,'
meddai, 'os dangosa i dy lyfr di i bawb
yn y dosbarth, y cân nhw weld dy
waith mathemateg gwych di.' Cododd
lyfr mathemateg Alana fel bod pawb
yn gallu'i weld. Chwarddodd pawb
wrth weld y lluniau yn llenwi'r
dudalen. Meena, yn eistedd wrth ei
hochr, oedd yr unig un i beidio
chwerthin. Gwasgodd law Alana o dan

y ddesg wrth i wyneb Alana gochi mewn cywilydd.

Doedd pethau'n ddim gwell ar ôl cinio pan aethon nhw allan i chwarae pêl-rwyd. Gan ei bod yn dawnsio gymaint roedd Alana'n heini iawn, ond doedd ganddi ddim llygad da am y bêl. Roedd hi'n chwarae yn safle'r Gôl Ymosod, ond methodd gael y bêl i'r rhwyd o gwbl.

Keisha oedd yr orau yn y dosbarth mewn chwaraeon. Roedd hithau hefyd yn mynd i Stiwdio Stepio. Roedd hi'n dal ac yn gryf, a hi oedd capten tîm pêl-rwyd yr ysgol.

'Mae'n ddrwg gen i, Keisha. Chwaraeais i'n sâl iawn heddiw,' meddai Alana wrth iddyn nhw newid allan o'u dillad chwaraeon.

'Hmm, wel, yn sicr, nid ti fydd fy

newis cyntaf i ar gyfer y tîm pêl-rwyd!'
chwarddodd Keisha, gan dynnu'i
threinyrs.

'Diolch byth!' atebodd Alana. 'Mae'n
ddigon anodd perswadio Mam i adael
i mi fynd i wersi dawnsio ar ôl yr ysgol.
Chawn i byth wneud rhywbeth arall
hefyd.'

'Petai'n rhaid i mi ddewis rhwng
Stiwdio Stepio a chwarae pêl-rwyd,'
meddai Keisha, 'pêl-rwyd fyddwn i'n ei
ddewis bob tro.'

'Wir?' meddai Alana. 'Dawnsio fyddai
fy newis i!'

Roedd Alana'n falch pan ddaeth yn
amser mynd adref o'r diwedd. Wrth
gerdded i lawr y stryd fawr, edrychodd
ar y siopau cyfarwydd a'i meddwl yn
bell. Gwenodd a chodi'i llaw ar y dyn y
tu ôl i'r cownter yn y siop bapurau

newydd – yno y byddai'n mynd i brynu cylchgronau dawnsio pan fyddai wedi llwyddo i gynilo digon o arian poced. Ond yna, diflannodd ei gwên. Edrychai popeth mor ddigalon – y stryd yn drewi o fwg traffig ac yn llawn pobl yn gwthio ac yn rhuthro i mewn ac allan o'r siopau. Roedd yr aer yn llaith, a threiddiai llafnau oer o wynt drwy'i chôt. Roedd y ffaith fod ei mam yn bygwth ei gorfodi i roi'r gorau i ddawnsio ar ei meddwl drwy'r adeg.

Yna, wrth iddi droi'r gornel i'w stryd ei hun, sylwodd ar siop nad oedd hi wedi'i gweld erioed o'r blaen. Yr enw uwchben y drws oedd 'Ffasiwn Steil: Siop Wisgoedd Madam Sera.' Roedd yr arwydd wedi hen bylu, fel petai'r siop wedi bod yno ers blynyddoedd.

Dyna od, meddyliodd Alana. Sut mod i erioed wedi sylwi ar siop ddillad ar gornel fy stryd i?

Doedd dim posib gweld beth oedd y tu mewn iddi gan fod llenni lliwgar dros y ffenest. Y cyfan fedrai hi ei weld oedd rhyw olau rhyfedd. Doedd o ddim yn edrych fel golau trydan arferol. Beth ar y ddaear oedd o? Roedd yn *rhaid* iddi gael gweld!

Pennod 4

Gwichiodd y drws wrth i Alana'i wthio
ar agor yn betrus. Y munud y camodd i
mewn i'r siop, cafodd dipyn o sioc.
Daeth gwraig dal i'w chyfarfod, a
cholur trwchus yn blastar ar ei
hwyneb. Gwisgai siôl oedd yn
disgleirio ac yn pefrio, ac esgidiau efo
sodlau uchel iawn.

   'Croeso mawr, 'mechan i!' meddai'n
wên i gyd, gan gofleidio Alana. Wyddai
Alana ddim beth i'w feddwl. Doedd

 41

peth fel hyn erioed wedi digwydd iddi mewn siop o'r blaen. 'Madam Sera ydw i!' ychwanegodd y wraig. 'Pwy wyt ti?'

'Ym . . . Alana,' atebodd Alana.

'Ac rwyt ti'n ddawnswraig!' meddai Madam Sera wedyn.

'Sut gwyddoch chi hynna?' gofynnodd Alana'n syn.

'Mae golwg felly arnat ti, 'mechan i. Cofia fod y dawnswyr gorau i gyd yn dod yma i brynu dillad! Chredet ti fyth y straeon fedrwn i eu hadrodd! Dyna i ti hanes twtw y brif falerina . . . Ond dwi'n siarad gormod, a titha ddim hyd yn oed wedi cael cyfle i edrych o gwmpas fy siop i!'

Agorodd llygaid Alana yn fawr, fawr wrth syllu o'i chwmpas. O'i blaen roedd rhes ar ôl rhes o'r dillad dawnsio mwyaf anhygoel – dillad bale a gwisgoedd dawnsio ffurfiol, gwisgoedd gwahanol gymeriadau a gwisgoedd salsa. Roedd silffoedd llawn dop o sgarffiau plu a rholiau o ruban, addurniadau a thlysau'n sgleinio, ffaniau a mygydau yn ymestyn at y nenfwd. Gwelai bob math o wahanol esgidiau dawnsio. Crwydrodd Alana o gwmpas yn bodio'r defnyddiau gwych yn ofalus ac yn dychmygu sut deimlad fyddai gwisgo'r dillad hyfryd.

'Rŵan, 'mechan i,' meddai Madam
Sera, 'ty'd yma i gael gair bach efo fi.
Wn i'n iawn fod rhywbeth yn dy boeni
di. Aros am funud bach i mi gael
gwneud diod boeth i ti.'

Aeth ag Alana i eistedd ar gadair
felfed binc. Yna, i ffwrdd â hi. Daeth yn
ei hôl gyda diod o de mint melys,

poeth mewn cwpan de flodeuog.

'Rŵan,' meddai hi. 'Dweda di wrth Madam Sera be sy'n bod.' Edrychodd Alana ar ei hwyneb caredig, ac yn sydyn roedd hi eisiau dweud popeth wrthi. Llifodd y geiriau allan fel rhaeadr. Soniodd bod ei mam yn gweithio mor galed, a hithau'n gorfod edrych ar ôl ei chwaer fach, ei bod yn methu'n glir â chael y camau samba'n iawn ac efallai y byddai'n rhaid iddi roi'r gorau i ddawnsio. 'Ac,' ychwanegodd, y geiriau'n byrlymu o'i cheg yn gyflymach fyth, 'roedd Mam i fod i wneud gwisg i mi erbyn y *Sioe Ladin Syfrdanol* ond mi anghofiodd hi a fedrwn ni ddim fforddio un newydd a bydd raid i mi ddawnsio mewn hen sgert a leotard ac mae gwisg Indeg yn oren ac aur a dydi o ddim yn deg a . . . a . . . a . . .'

Cododd Madam Sera ei llaw i'w thawelu. 'Dim gwisg ar gyfer y sioe?' gofynnodd. 'Wel, mae'n ddigon hawdd datrys hynny!' Gwibiodd ar draws y siop, yn chwipio'n gyflym drwy'r rhesi dillad. Gafaelodd yn un o'r gwisgoedd samba mwyaf godidog roedd Alana wedi'i gweld erioed: un goch tywyll, brydferth, a darnau bach aur ac arian yn sgleinio drosti.

'O! Mae hi'n ddigon o ryfeddod!' meddai Alana, wedi dotio'n lân. 'Ond fedrwn i byth *bythoedd* ei fforddio hi.

'Wel, 'mechan i, weithiau mae'r pethau rhyfeddaf yn medru digwydd,' atebodd Madam Sera. 'Dos i'w gwisgo hi. Pwyntiodd at gornel o'r ystafell oedd y tu ôl i lenni. Yno roedd lle i wisgo dillad. Wedi mynd i mewn, sylweddolodd Alana fod yr ystafell yn llawer mwy nag yr edrychai o'r

tu allan. Ar bob ochr roedd drych gyda bylbiau golau o'i amgylch, yn union fel ystafell wisgo mewn theatr.

Llithrodd y wisg dros ei phen a chwipiai'r sgert yn llyfn o gwmpas ei chluniau a'i choesau. Teimlai fel petai wedi ei gwneud yn arbennig ar ei chyfer. Yna, aeth yn ôl i brif ran y siop i'w dangos i Madam Sera.

'Mmm, del iawn,' meddai Madam Sera, yn craffu arni'n fodlon. 'A byddai'r rhain yn mynd yn ardderchog efo hi, dwi'n meddwl.'

Estynnodd bâr o esgidiau dawnsio lledr gloyw, du gyda sodlau isel a byclau diemwnt arnynt, oddi ar y silff. Er syndod i Alana roedden nhw'n ffitio'n berffaith. Sut gwyddai Madam Sera pa faint i'w hestyn? meddyliodd.

'Pam na roi di gynnig ar dy batrwm

dawns samba?' gofynnodd Madam
Sera.

'Rŵan? Yn fan'ma?' meddai Alana'n
swil.

'Aros funud
bach i mi gael
trin dy wallt di!'

Mewn chwinc,
roedd hi wedi
gosod gwallt
Alana yn gynffon
uchel ar ei
chorun, a phlu
coch i'w
addurno. 'Rŵan,'
meddai, 'gad i mi
dy weld di'n
dawnsio.'

Yn betrus,
cychwynnodd

Alana ar y stepiau y bu'n eu hymarfer drwy'r wythnos. Wrth iddi ddawnsio, teimlai ryw gosi rhyfedd dros ei chroen i gyd. Roedd ei thraed yn teimlo'n ysgafnach ac yn symud yn gyflymach. Beth ar wyneb y ddaear oedd yn digwydd? Gwnaeth ei gorau glas i beidio cynhyrfu. Caeodd ei llygaid, ond roedd ei thraed yn dal ati i ddawnsio. Yn bell, bell i ffwrdd yn rhywle, clywai lais Madam Sera: 'Fydd dim yn haws na dysgu'r ddawns, ac ar ôl i ti ddysgu digon, fe ddoi di adre ar d'union. Doi! Fe ddoi di adre!'

Tawelodd y llais, a'r cyfan a glywai Alana oedd sŵn tebyg i wynt yn rhuo. Yna, cyffyrddodd ei thraed â'r ddaear drachefn, ond y tro hwn teimlai'n gynnes oddi tani. Roedd yr haul yn grasboeth, yr awel yn dyner ar ei

hwyneb, a churiad drwm a miwsig
samba yn llenwi'r awyr. Pan agorodd
Alana ei llygaid roedd hi'n dal i
ddawnsio'r samba, ond erbyn hyn
roedd hi ar ffordd ger traeth euraid
gyda miloedd o bobl eraill yn dawnsio
hefyd!

Pennod 5

Edrychodd Alana o'i chwmpas yn syn.
Gwelodd faner fawr wedi'i chodi yn y
tywod. Arni roedd y geiriau *Carnaval
do Rio*. Oedd y peth yn bosib? Oedd hi
wir ym Mrasil, yng ngharnifal Rio?
Roedd hi'n hwyr yn y pnawn pan aeth
hi i mewn i'r siop, ond erbyn hyn
roedd yr haul yn uchel yn yr awyr.

Cyn iddi gael cyfle i ryfeddu rhagor,
daeth bachgen tua deuddeg oed ati.
Roedd ganddo fop o wallt cyrliog du a

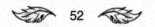

llygaid mawr tywyll. Cydiodd yn ei llaw. 'Brysia! Ty'd 'laen!' meddai wrthi. Arweiniodd hi yn y samba i lawr y ffordd lydan, gan osgoi'r dawnswyr eraill yn fedrus. Teimlai Alana fel petai hi wedi bod yn dawnsio'r samba ar hyd ei hoes. Roedd y stepiau'n hawdd, ac wrth iddi symud diflannodd ei phryderon i gyd.

Tawelodd y band. Aeth y bachgen â hi draw at gaffi ar y traeth a phrynu sudd mango a hufen iâ siocled iddi. 'Carlos ydw i!' meddai, yn wên o glust i glust. 'Welais i dy fod ti'n dawnsio ar dy ben dy hun ac roedd yn rhaid i mi gael dawnsio efo ti!' Siaradai mewn iaith ddieithr – mae'n rhaid mai iaith Portiwgal oedd hi, meddyliodd Alana, yn cofio eu bod wedi dysgu yn yr ysgol mai dyna oedd iaith Brasil hefyd.

Ond, yn rhyfedd iawn, gallai ddeall pob gair roedd Carlos yn ei ddweud. Sôn am od!

Gwridodd. Wyddai hi ddim beth i'w ddweud, felly yfodd ei sudd mango'n ddistaw. Yn ffodus, roedd Carlos yn siarad fel melin bupur. Dywedodd wrthi ei fod yn aelod o ysgol samba leol ac mai'r carnifal oedd uchafbwynt y flwyddyn iddo. Y pnawn hwnnw, byddai'n perfformio yn yr ormydaith efo'i ysgol.

Roedd Carlos wrth ei fodd yn dawnsio ac yn gobeithio bod yn ddawnsiwr proffesiynol rhyw ddiwrnod. 'Ond mae Papa'n dweud,' meddai wrth Alana, 'bod yn rhaid i mi adael yr ysgol samba ar ôl y carnifal eleni er mwyn canolbwyntio ar waith ysgol. Mae Papa eisio i mi fynd yn ddoctor. Dim ond tipyn o hwyl ydi dawnsio, medda fo, nid gyrfa go iawn.'

Nodiodd Alana wrth wrando ar Carlos yn siarad. Pan oedd hi'n dweud rhywbeth bob hyn a hyn, sylweddolodd ei bod hi'n siarad yr un iaith ag o. Roedd hi'n meddwl am y geiriau yn Gymraeg, ond roedden nhw'n dod allan mewn Portiwgaleg! Hud a lledrith, mae'n rhaid!

Ar hynny, daeth dyn canol oed efo mwstásh du, a golwg andros o flin arno, atyn nhw ar frys.

'Dyma ble rwyt ti, Carlos!' dwrdiodd.
'Pam nad wyt ti'n gwneud dy waith
cartref? Ty'd adre ar unwaith!'

Torrodd Carlos ar ei draws. 'Papa,'
meddai, 'dyma fy ffrind newydd i o
Gymru.' Doedd tad Carlos ddim yn
edrych mor ofnadwy o chwyrn wrth
iddo syllu ar Alana. 'Ga i ofyn iddi
ddod i gael cinio efo ni, Papa, os
gwelwch chi'n dda?'

'Cei,' atebodd ei dad. 'Ond mae'n
rhaid i ti ddod adref y munud yma i
wneud dy waith cartref, wyt ti'n deall?'

'Ond, Papa,' meddai Carlos, 'mae'n
rhaid i mi fynd i'r ysgol samba ar gyfer
yr ymarfer ola cyn yr orymdaith.'

'Ysgol samba wir!' meddai ei dad.
'Gwastraff amser a dim byd arall ydi
dawnsio! Iawn 'te, dos! Ar ôl heddiw

bydd raid i ti ganolbwyntio ar bethau pwysicach.' Chwifiodd ei ddwylo a hel Carlos ac Alana i ffwrdd.

Cydiodd Carlos yn llaw Alana eto. 'Paid â chymryd sylw o Papa,' meddai. 'Dwi'n benderfynol o fwynhau gorymdaith y carnifal gan mai dyma'r cyfle ola ga i. Faset ti'n hoffi dod efo fi i'r ysgol samba i'n gwylio ni'n ymarfer?'

'Mi faswn i wrth fy modd,' atebodd Alana.

Dim ond tafliad carreg o'r traeth oedd yr ysgol. Rhythai Alana mewn rhyfeddod wrth iddyn nhw fynd i mewn. Roedd y lle'n debyg i Stiwdio Stepio, ond yn llawer, llawer mwy – ac yn llawn dop o ddawnswyr mewn gwisgoedd cywrain, lliwgar, anhygoel. Doedd Alana erioed wedi gweld dim byd tebyg.

Aeth Carlos i newid gan ei gadael yn eistedd wrth ymyl y wal. Wrth iddi ddechrau arfer efo popeth o'i hamgylch, sylweddolodd Alana mai dim ond nifer fechan o wahanol wisgoedd oedd yno a bod nifer fawr o ddawnswyr yn gwisgo'r un steil. Ymhen ychydig funudau daeth Carlos yn ôl ati. Gwisgai siwt sidan oren lachar gyda phatrwm o fflamau drosti i gyd. Roedd ganddo benwisg o blu hir oedd yn crynu ac yn chwifio fel fflamau coch, oren a melyn.

'Mae'n rhaid i bob ysgol samba gael ei thema ei hun,' eglurodd. 'Tân' ydi'n thema ni eleni.'

Wrth iddo siarad,
safodd gwraig dal
mewn trowsus cwta a chrys-T o flaen y
dorf gan chwythu chwiban a siarad i
mewn i feicroffon. Chlywodd Alana
ddim beth ddywedodd hi. 'Mae'n rhaid
i mi fynd,' meddai Carlos. 'Fy ngrŵp i

sy'n ymarfer nesa.'

Aeth draw at griw o ryw gant o ddawnswyr eraill, pob un yn gwisgo dillad o liw oren tanllyd yn union fel ei ddillad o. Aeth pawb i'w le fel petaen nhw yn y carnifal. Cychwynnodd y miwsig samba cyflym ac i ffwrdd â nhw – traed pawb yn symud gyda'i gilydd i'r eiliad. Tapiai Alana ei thraed a siglo'i chluniau, yn ysu am gael ymuno â nhw.

Ar ôl i grŵp Carlos orffen ymarfer, cychwynnodd criw arall o ddawnswyr arni a daeth Carlos draw at Alana. 'Dwi'n mynd i newid fy nillad,' meddai. 'Wedyn awn ni adre i gael cinio. Erbyn hynny, bydd yn amser i'r orymdaith gychwyn!'

Cerddodd y ddau drwy'r strydoedd prysur i dŷ Carlos. Roedd awyrgylch y carnifal ym mhobman a phawb yn llawn cyffro.

Pan aethon nhw i'r tŷ, roedd mam Carlos wrthi'n brysur yn y gegin yn troi rhywbeth mewn sosban fawr, a'r lle'n llawn aroglau bendigedig. Roedd hi'n glamp o wraig radlon, braf a chofleidiodd Alana'n groesawgar cyn troi'n ôl at y coginio.

'Ty'd efo fi i weld y tŷ!' meddai Carlos. Roedd pobman yn draed moch, yn union fel cartref Alana, ond roedd yn llawn lliwiau llachar. Sylwodd Alana'n arbennig ar groglun batrymau cymhleth yn hongian ar y wal. Wedi craffu arno, sylweddolodd mai baner fawr ar bolyn hir oedd hi.

'O, ie,' esboniodd tad Carlos pan welodd hi'n syllu arno. 'Mae'r croglun yna'n bwysig iawn i'n teulu ni. Baner wedi'i gwneud o symbolau teulu ein hynafiaid ni i gyd ydi hi. Mi fydda i'n meddwl amdani fel bathodyn. Rydan ni i gyd yn falch iawn o'n teulu.'

Roedd y cinio yn nhŷ Carlos yn anhygoel. Eisteddodd Alana yng nghwmni ei frawd a'i chwiorydd bach, ei fam a'i dad a'i nain, ewythr a modryb a dwy gyfnither. Ar y bwrdd roedd pasteiod bach yn llawn caws, rhai eraill yn llawn cig sbeislyd, a chacennau corn brau. Roedd bananas wedi'u ffrio a pheli siocled i bwdin. *Brigadeiro* oedd yr enw arnyn nhw,

meddai Carlos. Siaradai pawb fel pwll y môr gan fwyta llond eu boliau. Teimlai Alana'n gwbl gartrefol yno a sgwrsiodd yn hapus efo pawb.

Roedd y rhan fwyaf o'r sgwrs am y carnifal a'r teulu'n llawn cyffro wrth sôn am y pnawn. Bob hyn a hyn, edrychai Alana ar Carlos. Gwelai'r tristwch yn ei lygaid gan mai dyma'r tro olaf y byddai'n cael cymryd rhan. Roedd o'n siarad ac yn bwyta fel pawb arall, ond roedd yn ddigon hawdd gweld fod ei feddwl yn rhywle arall.

Ar ôl cinio, rhedodd i fyny'r grisiau i newid yn ôl i'w wisg garnifal. Wrth i Alana helpu i glirio'r bwrdd, roedd ei llygaid yn cael eu tynnu at faner y teulu, a honno'n cynrychioli'r holl bethau roedd hynafiaid Carlos wedi eu gwneud. Carlos druan, meddyliodd.

Dydi o ddim yn deg nad ydi o'n cael dilyn ei freuddwyd. Os mai dawnsio ydi ei hoff beth, does bosib mai llwyddiant yn y maes hwnnw fyddai'r ffordd orau i wneud i'w deulu fod yn falch ohono? Bechod na fedrwn i wneud rhywbeth i'w helpu! Ond does gen i ddim gobaith.

Wrth iddi feddwl, daeth Carlos yn ôl i lawr y grisiau. 'T'yd 'laen,' meddai. 'Mae'r orymdaith ar fin cychwyn.' Roedd synau'r samba i'w clywed drwy'r ffenest agored, a brysiodd brawd a chwiorydd bach Carlos i gael lle da i wylio'r olygfa.

Yn sydyn, cafodd Alana syniad ardderchog. Edrychodd o gwmpas yr ystafell i wneud yn siŵr nad oedd tad Carlos yno. Cipiodd faner y teulu oddi ar y wal.

'Be wyt ti'n wneud?' gofynnodd
Carlos wedi dychryn. 'Bydd Papa o'i
go'n lân!'

'Shhh – ty'd 'laen. Bydd popeth yn
iawn!' meddai Alana gan gydio yn ei
law. Llusgodd o allan i strydoedd cefn
Rio, yn gafael yn dynn yn y faner.

Ond sylwodd tad Carlos arnyn nhw'n
mynd. Bloeddiodd yn ddig a rhedeg ar
eu holau. Doedd hi ddim yn anodd eu
gweld gan fod penwisg Carlos mor
lliwgar!

'Rhed!' gwaeddodd Alana ar Carlos.

'Dwyt ti ddim hanner call!'
gwaeddodd Carlos,
ond rhedodd
nerth ei draed

ar ei hôl hi. Sleifiodd y ddau i lawr stryd gul, a phan edrychodd Alana dros ei hysgwydd doedd dim golwg o dad Carlos.

Roedd yn hawdd cael hyd i'r orymdaith – dilynodd y ddau guriad y gerddoriaeth, a sŵn canu a churo dwylo'r dyrfa. Ond er hynny, doedd dim byd allai fod wedi paratoi Alana ar gyfer yr olygfa o'i blaen pan gyrhaeddon nhw'r brif stryd. Roedd y rhodfa lydan yn llawn dop o gannoedd ar gannoedd o ddawnswyr a cherddorion. Gwisgai pob criw o ddawnswyr ddillad 'run fath â'i gilydd, a phob criw yn cystadlu am sylw'r dorf. Ym mhobman roedd yna secwins a phowdwr sglein, botymau sgleiniog, gemau a phlu, penwisgoedd anferthol a sodlau uchel, uchel. A symudai'r dawnswyr gyda'i gilydd fel un, yn dyrfa enfawr, yn siglo'u cluniau ac yn chwifio'u breichiau. O bobtu'r stryd roedd rhesi o seddau'n llawn dop o bobl yn bloeddio a chymeradwyo.

Gwelodd Alana y dawnswyr o ysgol samba Carlos yn aros i gymryd eu lle yn yr orymdaith. Gwthiodd Alana y faner i ddwylo Carlos. 'Cofia chwifio hon wrth ddawnsio,' gwaeddodd dros sŵn y miwsig.

Cychwynnodd eu dawns, a gafaelodd Carlos yn llaw Alana i'w thynnu i mewn i'r orymdaith efo fo. Chwifiodd y faner yn uchel uwch ei ben yn yr awyr. Disgleiriai'r gwahanol symbolau yn yr haul llachar wrth i'r gwynt ei chwythu'n ysgafn. Trodd Alana a Carlos, a dyna lle roedd Papa yn y seddau blaen yn codi'i ddyrnau ac yn gweiddi.

 67

'Edrychwch, Papa!' gwaeddodd
Carlos, yn ymdrechu i weiddi dros sŵn
y drymiau samba. Chwifiodd y faner yn
wyllt. 'Dwi'n dawnsio er mwyn y teulu,
Papa! Dwi'n dawnsio er mwyn i chi fod
yn falch ohona i!'

Aeth llais Carlos ar goll yng nghanol
yr holl sŵn. Ond wrth i Papa ei wylio'n
dawnsio gan chwifio'r faner yng
ngolau'r haul, sylweddolodd beth
roedd Carlos yn ceisio'i wneud.
Newidiodd y llygaid a fu'n fflachio'n
ddig i rai a syllai'n garedig. Gwenodd
ar ei fab, yn llawn balchder.

Wrth i Carlos ac Alana nesáu ato,
gadawodd Carlos y ddawns am funud
bach. Aeth at ei dad i siarad.

'Dach chi'n gweld, Papa?' meddai.
'Dach chi'n gweld y bydda i'n medru
gwneud fy nheulu yn falch ohona i os

byddwch chi'n gadael i mi ddawnsio?'

'Ydw,' meddai Papa. 'Ydw wir, Carlos bach!'

'Felly ga i ddawnsio yn y carnifal eto? Wnewch chi adael i mi aros yn yr ysgol samba?

'Cei,' meddai Papa. 'Fe gei di aros.'

Tynnodd Carlos Alana'n ôl i'r ddawns yn wên i gyd. Cyflymai curiad y samba a hithau'n llwyddo i wneud pob symudiad. Gallai wneud y stepiau o'r patrwm dawnsio roedd hi wedi'i ddysgu ar gyfer y *Lladin Syfrdanol*, ond sylweddolodd hefyd ei bod yn gwneud pob math arall o stepiau cymhleth – fel y *corta jaca* a'r *batucada*. Toddai ei gwisg lliw fflamau yn hyfryd efo'r gwisgoedd eraill, felly doedd hi ddim yn edrych yn chwithig o gwbl.

Wrth iddi droelli, teimlodd Carlos yn

rhoi rhywbeth yn yr hem yng nghefn ei gwisg. Sibrydodd yn ei chlust, 'Diolch, Alana. Rwyt ti wedi ein gwneud ni i gyd mor hapus. Diolch i ti!'

Yna, fel petai'n dod o bell, bell i ffwrdd, clywai Alana lais Madam Sera.

'Ar ôl i ti ddysgu digon, fe ddoi adre ar d'union! Doi! Fe ddoi di adre!'

Caeodd Alana ei llygaid gan ddal ati i ddawnsio. Yn raddol, distawodd sŵn y samba. Unwaith yn rhagor, roedd y ddaear fel petai'n diflannu oddi tani a theimlodd chwa o wynt cynnes. Pan gyffyrddodd ei thraed â'r ddaear unwaith eto, teimlai'r llawr yn galed a chlywai ei chamau'n atseinio fel petai mewn ystafell ac nid allan ar y stryd.

Agorodd ei llygaid. Dyna lle roedd hi yn ôl yn Ffasiwn Steil, a Madam Sera'n

eistedd yn yr un fan yn union yn ei
siop wisgoedd yn gwenu'n glên, fel
petai dim byd anghyffredin wedi
digwydd. Roedd yn anodd iawn i Alana
gredu beth oedd wedi digwydd iddi.
Doedd dim byd fel petai wedi newid
heblaw'r ffaith ei bod hi'n braidd yn
fyr o wynt. Wrth edrych ar yr hen gloc
mawr llychlyd yng nghornel y siop,
teimlai'n fwy sicr fyth mai wedi
dychmygu'r cyfan oedd hi. Pump o'r
gloch oedd hi pan ddaeth hi i mewn i'r
siop. Chwarter wedi pump oedd hi
erbyn hyn. Chwarter awr yn unig oedd

wedi mynd heibio!

'Mae'n rhaid i mi fynd adre y munud yma,' meddai Alana. 'Bydd Mam yn aros amdana i. Ond diolch yn fawr iawn am adael i mi roi'r wisg amdanaf. Mae hi'n ddigon o ryfeddod.'

'Beth am i ti ei chadw hi?' atebodd Madam Sera. 'Dwi'n meddwl dy fod ti'n haeddu ei chael hi.'

'O! Fedra i ddim,' atebodd Alana, yn bodio'r defnydd disglair yn awchus. 'Mae hi'n rhy ddrud o'r lawer.'

'Cymer hi, 'mechan i,' meddai Madam Sera gan lapio'r wisg yn ofalus mewn gorchudd plastig. 'Mae hi'n dy ffitio'n berffaith, fel petai wedi ei gwneud yn arbennig ar dy gyfer di.'

Lluchiodd Alana ei breichiau am wddf Madam Sera. 'Diolch!' gwaeddodd yn hapus. 'Diolch yn fawr iawn! Mi fyddwn i wrth fy modd yn cael ei benthyg hi am ddiwrnod neu ddau!'

'Popeth yn iawn, siŵr,' meddai Madam Sera. 'Ac aros funud bach – mae'n well i ti fynd â hwn hefyd.'

Rhoddodd albwm hardd iddi, a hwnnw wedi'i orchuddio â defnydd porffor gydag edau aur yn rhedeg drwyddo. Tu mewn roedd tudalennau trwchus, lliw hufen a digon o bocedi gwag i gadw pethau arbennig.

Diolchodd Alana eto i Madam Sera. Yna aeth allan o'r siop a rhedeg i lawr y stryd i'w chartref gan guddio'r wisg o dan ei chôt.

Wrth iddi gerdded drwy'r drws, roedd golwg euog braidd ar ei mam, fel petai hi'n ceisio cuddio rhywbeth rhag Alana.

Dim ots gen i, meddyliodd Alana. Mae gen i ddigon o bethau ar fy meddwl heb boeni am beth bynnag mae Mam yn ei wneud. Doedd hi ddim eisiau sôn am y wisg wrth neb am y tro.

Rhedodd i fyny i'w hystafell a hongian y wisg brydferth yn ei chwpwrdd dillad. Cafodd drafferth i gau'r drws gan fod cymaint o haenau o ddefnydd a ffriliau yn y sgert!

Roedd hi'n awyddus i gael noson dda o gwsg cyn y sioe drannoeth. Felly, aeth i fyny'r grisiau ar ôl swper a pharatoi i fynd i'r gwely. Wrth iddi fynd i gysgu, teimlai'n hapusach o lawer am y *Sioe Syfrdanol*. Teimlai'n sicr y byddai'n llwyddo i wneud y stepiau'n iawn erbyn hyn – *ac* roedd ganddi wisg anhygoel!

Pennod 6

Dydd Sadwrn oedd hi – diwrnod y *Sioe Ladin Syfrdanol*. Cyn gynted ag roedd hi wedi gorffen ei brecwast, rhuthrodd Alana draw i dŷ Meena am sgwrs a thipyn bach o ymarfer munud olaf.

Aeth y genethod i fyny i ystafell Meena. Chwaraeodd Meena ei CD diweddaraf gan TJS a dechreuodd y ddwy beintio'u hewinedd ar gyfer y sioe. Dewisodd Alana baent clir gyda sêr bach arian ynddo. Penderfynodd

Meena ddefnyddio paent glas yr union 'run lliw â'i gwisg samba. Wrth iddyn nhw beintio'u hewinedd, roedd chwa o arogl chapatis yn rhostio yn dod o'r gegin. Roedd Alana ar lwgu. Nain Meena oedd yn gwneud y rhan fwyaf o'r coginio yno, ac roedd y prydau bwyd bob amser yn wych.

'Dwi'n gobeithio y bydd popeth yn mynd yn iawn pnawn 'ma,' ochneidiodd Meena.

'A finnau,' meddai Alana. 'Hyd yn oed os bydd fy stepiau i'n gywir, gallai Trystan wneud llanast. Gallai o fod yn ddawnsiwr da, ond dydi o ddim hyd yn oed yn trio.'

'Wn i,' meddai Meena, 'ond a dweud y gwir, nid arno fo mae'r bai. Does ganddo fo ddim diddordeb mewn mynd i ddosbarthiadau dawnsio.

Ddylai ei fam wrando ar be mae *o* eisio'i wneud, nid be mae hi eisio. Dim ond am na fedrai *hi* fod yn ddawnswraig ei hunan. Dydi o ddim yn deg.'

'Rwyt ti'n hoffi Trystan, yn dwyt?' pryfociodd Alana.

'Mae o'n iawn,' meddai Meena, gan wrido. 'Ond nid dyna'r pwynt. Poeni ei fod o'n cael amser caled rydw i.'

Ar ôl cael cinio roedd yn amser mynd i'r theatr. Aeth mam Meena â  nhw at ddrws y theatr yn y car. Brysiodd y ddwy drwy gefn y llwyfan gan gario'u gwisgoedd yn ofalus dros un fraich. Ar ddrws yr ystafell wisgo roedd arwydd yn dweud Disgyblion Stiwdio Stepio. Tu mewn roedd popeth yn blith draphlith, a llawer gormod o bobol wedi'u gwasgu i mewn i le rhy fychan, yn trin eu gwalltiau, yn coluro, ac yn siarad yn ddi-baid.

Wrth i Alana baratoi, llithrodd ei meddwl yn ôl i Ffasiwn Steil, Siop Wisgoedd Madam Sera. Pwy oedd Madam Sera? O ble daeth ei siop? Pam roedd hi mor awyddus i helpu Alana? Roedd y cyfan yn ddirgelwch llwyr.

'Am beth wyt ti'n breuddwydio?' gofynnodd Meena wrth iddi roi colur ar ei hwyneb.

Rhoddodd Indeg ei phig i mewn: 'Mae'n debyg ei bod hi'n breuddwydio bod ganddi hi fam allai fforddio prynu gwisg go iawn iddi ar gyfer y *Sioe Syfrdanol*,' meddai hi, yn chwerthin yn gas. Newydd gyrraedd oedd Indeg. Gwisgai ddillad drud, ac yn ei llaw cariai baned o goffi latte braster isel.

'A dweud y gwir,' meddai Alana, yn gwenu'n hynod o glên, 'dyma fy ngwisg i.' Agorodd y sip ar orchudd gwisg Madam Sera.

Rhythodd Indeg ar y wisg odidog. Lledai haen ar haen o sgertiau ohoni, pob un â darnau bach o aur drosti. Disgleiriai miloedd ar filoedd o ddiemwntau dros y bodis a fflachiai'r cyfan yng ngoleuadau llachar yr ystafell wisgo.

Am eiliad, roedd wyneb Indeg bron cyn goched â'r wisg. Ond yna, daeth ati'i hun.

'Dwyt ti erioed yn meddwl y bydd

unrhyw un yn credu bod y diemwntau
yna'n rhai go iawn?' gofynnodd gan
chwerthin yn annifyr, ac i ffwrdd â hi i
ymarfer ei stepiau.

'Anwybydda hi,' sibrydodd Meena.
'Pwy sy'n malio os mai rhai ffug ydi'r
diemwntau? Mae'r wisg yn ddigon o
ryfeddod.'

Fedrai Alana ddim dweud wrthi eu
bod nhw, *wir*, yn rhai go iawn! 'Ty'd

'laen,' meddai hi, 'awn ni i ymarfer tipyn ar y ddawns.'

Cerddodd y ddwy ar y llwyfan. Roedd llawer o ddawnswyr eraill yno'n ymarfer yn brysur, a theimlodd Alana ias o bryder wrth edrych i lawr ar y neuadd wag. Cyn bo hir byddai'r seddau yna'n llawn o bobl yn disgwyl cael eu diddanu. Fyddai hi'n llwyddo i'w diddori neu a fyddai hi'n straffaglio i gofio'i stepiau, yn union fel yn yr ymarfer?

Ond wrth i'r ddwy weithio drwy batrwm dawnsio'r samba, bu bron i Alana anghofio ble roedd hi. Roedd y theatr fel petai'n diflannu, a hithau bron yn arogleuo gwres y carnifal unwaith eto. Clywai guriad y drymiau a theimlai gyffro'r ddawns yn dyrnu drwyddi. Mae hyn mor rhyfedd, meddyliodd. Dim ond breuddwyd oedd Rio, mae'n siŵr, ond i mi mae'n teimlo'n hollol wir.

Daeth sgrech uchel o gyfeiriad yr ystafelloedd newid gan ddod â'i thraed yn ôl i'r ddaear yn sydyn. Llais Cadi oedd o.

'O, na, tybed be sy wedi digwydd i Cadi?' gofynnodd Meena.

'Well i ni fynd i weld,' atebodd Alana, a brysiodd y ddwy i gyfeiriad y sŵn.

Wrth iddyn nhw nesáu, clywai'r ddwy lais Indeg rhwng sgrechiadau Cadi. Clywsant y gair 'gwisg . . .' ac 'wedi'i ddifetha'n llwyr . . .' Ac yna, 'Alana.' Suddodd stumog Alana i waelod ei sodlau a dechreuodd redeg.

Pan aeth hi i mewn i'r ystafell wisgo, y peth cyntaf welodd hi oedd ei gwisg yn hongian ar y bachyn. Dros y canol i gyd roedd staen coffi hyll, a'r coffi'n diferu drip-drip-drip i ffurfio pwll ar y llawr oddi tani. Roedd Cadi wrthi'n brysur efo lliain yn ceisio sychu'r wisg, ei hwyneb dagreuol yn goch.

'O, Alana druan! Alana druan!' llefai. 'O bechod! *Bechod*! Ei gwisg hardd hi!'

Roedd Alana wedi dychryn gormod i symud. Beth ar wyneb y ddaear fyddai

Madam Sera'n ei ddweud pan welai fod ei gwisg hardd wedi'i difetha?

Eisteddai Indeg ar fwrdd gerllaw, yn gwenu hen wên fodlon, sbeitlyd. Lledodd y wên pan welodd Alana. 'Mae'n wir ddrwg gen i, Alana,' meddai'n ffals i gyd, 'ond mae Cadi wedi tywallt coffi dros dy wisg di. Mae hi wedi'i difetha'n lân, mae arna i ofn.'

'Nid fi wnaeth, wir yr,' llefodd Cadi.

'Popeth yn iawn, Cadi,' meddai Alana yn ddistaw, gan roi ei braich am ei hysgwydd. 'Rydw i'n dy gredu di.'

Roedd gan Alana syniad da iawn pwy oedd wedi difetha'i gwisg. Edrychai Indeg yn rhy hunanfodlon o lawer. Cymerodd Alana'r lliain o law Cadi'n ofalus. 'Paid ti â phoeni am drio llnau'r wisg – does gen ti ddim gobaith.' Distawodd Cadi'n raddol.

Ar hynny, agorodd y drws a dyna lle roedd Fflur Haf yn sefyll. Dychrynodd am ei bywyd wrth weld yr olygfa o'i blaen: y wisg wedi'i difetha. Cadi'n edrych yn dorcalonnus, Alana'n gwneud ei gorau glas i beidio crio, a Meena'n ceisio'i chysuro. Ac Indeg. Indeg yn eistedd yno yn edrych yn falch a bodlon. Sylweddolodd Fflur Haf yn syth beth oedd wedi digwydd. Ond doedd dim amser i wneud dim yn ei gylch. Wrth i bawb ddechrau siarad ar draws ei gilydd, cododd ei llaw er mwyn cael tawelwch.

'Mi ro i drefn ar bethau'n nes ymlaen, genod,' meddai hi. 'Alana, mae dy fam yma ac mae hi eisio siarad efo ti. Mae'n bwysig, meddai hi. Ffwrdd â ti.'

Be sy rŵan? meddyliodd Alana wrth

redeg at ddrws y llwyfan. Fedrai pethau fynd yn waeth? I ddechrau roedd ei gwisg wedi'i difetha, ac yn awr roedd ei mam yma oherwydd ryw argyfwng neu gilydd. Doedd bosib ei bod eisiau iddi ofalu am Abi heddiw, o bob diwrnod? Hyd yn oed heb wisg, fedrai Alana ddim meddwl am golli'r sioe!

Ond pan welodd Alana ei mam, gwelodd ei bod hi'n edrych yn llawn cyffro, nid yn bryderus nac mewn helynt. Cariai glamp o fag plastig.

'Helô, cariad,' meddai hi gan gusanu boch Alana. 'Wyddost ti be? Ro'n i'n teimlo'n *ofnadwy* am mod i wedi dweud wrthat ti ddoe y byddai'n rhaid i ti roi'r gorau i ddawnsio. Dwi'n sylweddoli gymaint mae'n ei olygu i ti. Ac ro'n i'n teimlo'n euog am anghofio gwneud gwisg i ti hefyd. Felly arhosais i ar fy nhraed drwy'r nos a pherswadio'r bòs i roi diwrnod o wyliau fel mod i'n gallu ei gorffen hi. Dyma hi.'

Tynnodd wisg samba ogoneddus o'r bag plastig. Roedd wedi'i gwneud o'r defnydd glaswyrdd roedd Alana a hithau wedi'i brynu efo'i gilydd yr wythnos cynt. Doedd hi ddim yn berffaith. Roedd yn ddigon hawdd gweld ei bod wedi cael ei gwneud ar frys gwyllt gan fod y pwythau braidd yn fawr ac yn llac ac ambell edau'n hongian yn rhydd yma ac acw. Ond roedd Mam wedi prynu secwins bach gwyrdd arbennig a'u gwnïo ar y sgertiau. Roedd hi'n amlwg wedi gwneud andros o ymdrech.

Roedd Alana wedi dotio at y wisg.

'Mae'n anhygoel, Mam! Diolch!' meddai hi. Lluchiodd ei breichiau am ei mam a'i chofleidio. Efallai nad oedd y wisg ddim mor grand â'r un roedd Madam Sera wedi'i rhoi iddi, ond ei mam oedd wedi'i gwneud hi, felly, roedd yn fwy gwerthfawr o'r hanner iddi.

'A gan mod i wedi llwyddo i gael diwrnod o'r gwaith,' meddai Mam, 'mae Abi a fi'n medru dod i'r sioe. Rydan ni'n ysu am dy weld di'n dawnsio'r samba!'

Felly bydd raid i mi wneud fy ngorau glas, meddyliodd Alana, wrth ruthro'n ôl i'r ystafell wisgo i roi'i gwisg newydd amdani.

'Be ydi honna?' gofynnodd Indeg yn bigog, pan welodd Alana yn cerdded i mewn gyda'r wisg laswyrdd yn disgleirio ar ei braich.

'O, dim ond gwisg arall,' meddai Alana'n ddi-hid. 'Dwi'n eitha balch fod y llall wedi'i difetha, a dweud y gwir – mae gwyrdd yn gweddu'n well i mi.'

Yn sydyn, roedd wyneb Indeg wedi newid bron 'run lliw â'r wisg!

Pennod 7

Wrth i'r gynulleidfa ddod i mewn i'r theatr, roedd criw Stiwdio Stepio yn sbecian rownd llenni'r llwyfan i weld pwy oedd yno. Cerddodd rheini Indeg i mewn, ei thad mewn siwt smart a'i mam yn gwisgo côt ffwr go iawn. Chwaraeai mam Trystan efo'i rhaglen, a golwg bryderus ar ei hwyneb. Roedd mam a nain Meena'n ceisio cadw trefn ar ei brawd a'i chwaer fach – y ddau'n ffraeo ynghylch ble i eistedd. Roedd

Cadi yno hefyd, yn eistedd yn y rhes flaen. Newydd gychwyn yn Stiwdio Stepio roedd hi, felly doedd hi ddim eto wedi cael cyfle i ddysgu'r patrwm dawnsio ar gyfer y sioe. Ond roedd hi'n awyddus i wylio, hyd yn oed os nad oedd hi'n cael ymuno â nhw'r tro yma.

Roedd Alana ar bigau'r drain. Roedd y seddau i gyd bron yn llawn a'r llenni'n codi ymhen pum munud. Ble roedd Mam ac Abi? Yna gwelodd y ddwy yn rhuthro drwy'r drws, ei mam yn llawn ffwdan ac Abi wedi cyffroi'n lân. Rhoddodd Alana ochenaid o ryddhad.

Roedd y sioe ar fin dechrau a phawb yn aros ar ochr y llwyfan, y tu ôl i'r llenni. Aeth Alana atyn nhw.

'Dwi'n gobeithio nad wyt ti'n mynd i

godi cywilydd ar bawb, Alana,' meddai Indeg. 'Ar ôl gweld sut roeddet ti'n dawnsio yn yr ymarfer, dwi ddim yn meddwl y bydd Fflur Haf eisio dy weld di yn Stiwdio Stepio ar ôl heddiw.'

'Anwybydda hi!' meddai Meena'n ffyrnig, gan wasgu braich Alana.

A dweud y gwir, doedd Alana yn cael dim trafferth o gwbl i anwybyddu Indeg a gwyddai yn ei chalon y byddai popeth yn iawn.

Dechreuodd y band chwarae hoff fiwsig samba Alana, gyda'i guriad cyflym, a daeth awyrgylch poeth y carnifal i danio'r theatr y munud hwnnw.

'Pawb yn barod!' meddai Fflur Haf.

Ffrwydrodd y disgyblion ar y llwyfan gan symud yn llawn ynni i guriad y ddawns. Curodd pawb yn y gynulleidfa eu dwylo'n frwd. Dawnsiodd Alana y camau i gyd yn berffaith, heb hyd yn oed orfod meddwl beth roedd hi'n ei wneud. Dawnsiodd Trystan gyda hi, yn bartner ardderchog, heb ymdrech o gwbl. Yna, tua diwedd y ddawns pan oedden nhw i fod i ailadrodd rhan gyntaf y ddawns, sylweddolodd Alana ei bod hi'n gwneud patrwm dawnsio newydd, anhygoel. Roedd yn llawer mwy cymhleth na dim byd roedd Fflur

Haf wedi'i ddysgu
iddyn nhw. Ond
dawnsiodd Alana
fel petai hi wedi
hen arfer ei
wneud.

Dechreuodd y
gynulleidfa
gymeradwyo.
Wrth godi'i phen,
digwyddodd
Alana ddal llygaid
ei mam. Ar ei
hwyneb gwelai'r
un edrychiad yn union â'r olwg oedd
ar wyneb Papa Carlos – balchder a
llawenydd wrth iddi wylio'i phlentyn
yn gwneud yr hyn roedd hi'n ei hoffi'n
fwy na dim arall yn y byd.

Ar ddiwedd y ddawns,

moesymgrymodd y disgyblion i gyd
cyn gadael y llwyfan. Ond yn sydyn
dechreuodd y gynulleidfa gyfan
weiddi 'Alana! Alana!' Roedd yn rhaid
iddi fynd yn ôl i foesymgrymu unwaith
yn rhagor a hynny ar ei phen ei hun.
Pan ddisgynnodd y llenni am y tro
olaf, rhuthrodd pawb ati i'w
llongyfarch.

'Waw! Roedd hynna'n anhygoel,
Alana,' meddai Meena. 'Sut yn y byd
ddysgaist ti wneud hynna ers dydd
Iau?'

'Ooo!' meddai Cadi, oedd wedi
ymuno â'r lleill yng nghefn y llwyfan.
'Roeddet ti'n wych! 'Swn i'n hoffi
petawn i'n medru dawnsio fel'na!'

Roedd gan Trystan, hyd yn oed,
rywbeth i'w ddweud. 'Roeddet ti'n
dawnsio'n dda,' meddai braidd yn

rwgnachlyd.

Yna, ar ôl sgwrsio'n brysur gyda theuluoedd y dawnswyr, daeth Fflur Haf ati. 'Waw, Alana – roist ti andros o sioc i mi heddiw!' meddai hi. 'Sôn am welliant! Mae'n rhaid dy fod ti wedi bod yn ymarfer am ddyddiau!'

Gwenodd Alana, ond ddywedodd hi'r un gair. Yr unig un oedd ddim wedi'i phlesio oedd Indeg. Gwelodd Alana hi yng nghefn y llwyfan efo'i rhieni. Roedd golwg filain yn ei llygaid a thro cas ar ei gwefusau main. 'Welsoch chi'r Alana 'na yn dangos ei hun?' meddai hi wrth ei mam, heb drafferthu i gadw'i llais yn ddistaw. 'Sôn am godi cywilydd ar rywun!'

'Ie, cariad,' meddai ei mam. 'Coman *iawn*. Wn i ddim beth sydd ar ben Fflur Haf yn gadael i eneth fel 'na ddawnsio yn Stiwdio Stepio.'

'A beth am ei gwisg hi?' ychwanegodd Indeg. 'Roedd y pwythau'n anferth! Mae'n debyg eich bod yn gallu'u gweld nhw o'ch sedd chi!'

Cerddodd Alana i ffwrdd rhag gorfod gwrando ar ragor. Doedd fawr o ots ganddi beth bynnag. Rywfodd, doedd hwyliau Indeg ddim yn gwella wrth ddweud pethau cas am Alana. Roedd hi'n mynd i edrych yn fwy dig bob eiliad!

Pennod 8

'Pan gyrhaeddon nhw adref, paratôdd Mam hoff bryd bwyd Alana: pizza efo madarch a llwyth o gaws arno, a bara garlleg.

'Mmm! Mmm!' meddai Abi wrth iddyn nhw fwyta potiau bach o bwdin siocled. 'Alana, alli di fod mewn sioe ddawnsio bob dydd?'

'O, na, gobeithio ddim!' meddai Mam, yn rhoi ei phen yn ei dwylo. 'Fedrwn i ddim dioddef y straen!'

Ar ôl swper, roedd hwyliau da iawn ar Alana. Doedd dim ots ganddi hyd yn oed fod yn rhaid i'w mam astudio drwy'r fin nos gan adael iddi hi ofalu am ei chwaer.

Gwnaeth i Abi fynd i'r bath a gofalu ei bod yn glanhau ei dannedd. Roedd Abi'n siarad yn ddi-baid am y sioe. 'Roeddet ti'n wych!' meddai hi, yn bownsio i fyny ac i lawr ar ei gwely yn lle gwisgo'i phyjamas. 'Dwi'n mynd i ddweud pa mor wych oeddet ti wrth

fy ffrindiau i gyd yn yr ysgol!'

O'r diwedd, llwyddodd Alana i gael
Abi i'w gwely. Yna, aeth i'w hystafell a
chau'r drws, yn falch o fod ar ei phen
ei hun o'r diwedd.

Gorweddodd ar ei gwely, a phopeth
oedd wedi digwydd ers ddoe yn
carlamu rownd a rownd yn ei phen.
Hyd yn oed os mai breuddwyd oedd
Rio, roedd yn freuddwyd a hanner! *Ac*
roedd hi wedi cael ffrind newydd –
Madam Sera, ac wedi darganfod
Ffasiwn Steil, siop wisgoedd
anghyffredin iawn. *Ac* roedd ei mam
wedi sylweddoli mor bwysig oedd
dawnsio iddi hi – am sbel, o leiaf. *Ac*
roedd hi wedi perfformio'n wych yn y
sioe!

Cododd Alana er mwyn cadw'r ddwy
wisg samba – yr un roedd ei mam

wedi'i gwneud iddi a'r un roedd
Madam Sera wedi'i benthyg iddi. Ond
wrth iddi hongian gwisg Madam Sera
yn y cwpwrdd dillad, edrychodd yn
syn arni. Dyna ryfedd, meddyliodd.
Doedd dim golwg o'r staen coffi.
Doedd y peth ddim yn gwneud
synnwyr o gwbl. Doedd hi ddim hyd
yn oed wedi cael cyfle i geisio'i
glanhau.

Rhoddodd Alana ochenaid o
ryddhad. Rŵan, pan fyddai'n mynd â'r
wisg yn ôl at Madam Sera, fyddai dim
angen iddi egluro pam roedd hi'n goffi
drosti.

Wrth iddi gau drws y cwpwrdd
dillad, cafodd gip ar rywbeth gwyrdd a
melyn yn sownd yn hem y wisg.
Tynnodd o i ffwrdd yn ofalus a gweld
mai baner Brasil fechan oedd hi, wedi'i

brodio'n grefftus.

Hei! Aros funud bach! meddyliodd. Dwi'n cofio gweld y darn yma ar faner Carlos! *A* dwi'n cofio'i deimlo fo'n rhoi rhywbeth yn hem fy ngwisg cyn i mi ei adael! Felly, *roedd* popeth yn wir – mae'n *rhaid* ei fod o! Y carnifal, y traeth, yr haul, teulu Carlos, yr orymdaith . . . fe ddigwyddodd popeth go iawn!

Yn sydyn, gwyddai pam roedd Madam Sera wedi rhoi'r albwm porffor ac aur iddi. Agorodd o'n ofalus a glynu'r faner fechan ar y dudalen gyntaf. Yna, estynnodd am ei

phensiliau aur ac arian gorau a
gwneud patrwm o'i chwmpas i gyd.

Wrth orwedd yn ei gwely y noson
honno, syllodd Alan ar yr albwm ar ei
silff. Mae llawer o dudalennau ynddo,
meddyliodd. Ydi hynny'n golygu bod
Madam Sera'n meddwl mod i'n mynd i
gael llawer o anturiaethau ac y bydda
i'n medru llenwi'r tudalennau efo
pethau arbennig i'w cofio am byth?

Cysgodd Alana yn drwm y noson
honno, yn breuddwydio pa wisg y
byddai'n ei dewis y tro nesaf y
byddai'n mynd i Ffasiwn Steil, siop
wisgoedd Madam Sera.

Croeso i Fyd
Dawns Arlene

Beth am fod yn seren samba?

Dyma symudiadau arbennig i dy helpu di i ddawnsio samba syfrdanol – yn union fel Alana a Carlos yn y carnifal yn Rio, Brasil!

 ## Cerddediad samba

Cam lle mae'r dawnsiwr yn bownsio oddi ar belen y droed.

Folta

Symudiad efo digon o sbonc sydd
hefyd yn gam bownsio da.

 # Rholio

Dyma pryd mae cyrff y partneriaid yn
agos at ei gilydd ac yn cylchdroi gyda'i
gilydd.

Ffeithiau samba ffantastig!

Dawns fywiog ac acennog, yn wreiddiol o Frasil, sy'n cael ei dawsio mewn curiad 2/4 i fiwsig samba.

Erstalwm, yn yr unfed ganrif ar bymtheg, daeth pobl o Bortiwgal â llawer o gaethweision o Affrica i Frasil. Nhw ddaeth â'r samba draw i'r wlad.

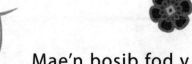

Mae'n bosib fod y gair 'samba' yn dod o air o'r iaith Bantu o orllewin Affrica sy'n golygu 'gweddïo' neu 'galw ar y duwiau'.

Mae'r samba'n ddawns sydd i fod i gyffroi pobl a'u rhoi mewn math o freuddwyd.

Bob yn dipyn, cymerodd pobl gyfoethog Rio at y ddawns a'i chynnwys yn eu traddodiad dawnsio ffurfiol.

Erbyn hyn, mae'n un o ddawnsfeydd mwyaf poblogaidd Brasil. Daeth yn nodwedd genedlaethol o'r wlad, ac mae'n cael ei dawnsio yng ngharnifal Rio bob blwyddyn.

Llyfrau Eraill am Alana a'i Ffrindiau

Llyfr 2: America!

Mae Alana a'i ffrind gorau Meena yn ymarfer dawnsio ar gyfer sioe'r ysgol. Ond mae eu ffrindiau'n dweud bod eu dawns yn hen ffasiwn.

Beth all y ddwy ei wneud?

Mae'r union beth i helpu Alana yn Ffasiwn Steil, siop wisgoedd Madam Sera!

Wrth iddi roi'r dillad dawnsio hud amdani, mae Alana'n mynd i America i berfformio mewn dawns stryd efo'i hoff fand bechgyn!

Ond a fydd hi'n medru gwneud i sioe'r ysgol droi'n fwrlwm o gyffro?

Llyfr 3: Gwisg Felen

Mae Alana'n paratoi ar gyfer cystadleuaeth mewn sioe ddawnsio ffurfiol. Ond mae Mam angen iddi warchod Abi ac, ar ben hynny, mae Alana wedi colli'i phartner.

Yn Ffasiwn Steil, siop wisgoedd Madam Sera, mae'r union beth ar ei chyfer: gwisg hudol, ogoneddus! Wedi ei rhoi amdani, caiff ei chwyrlïo'n ôl mewn amser i ystafelloedd dawnsio Fiena yn y bedwaredd ganrif ar bymtheg. Yno, mae tywysog angen help Alana.

Ond a ddaw hi'n ôl yn medru waltsio'n wych?

Llyfr 4: Bollywood Amdani!

Mae Alana eisiau helpu Meena, ei ffrind gorau, i fynd i glyweliad ar gyfer sioe newydd *Breuddwydion Bollywood*. Ond dydyn nhw ddim yn siŵr eu bod yn gwneud y stepiau'n iawn.

Pwy all eu helpu? Wel, Madam Sera, wrth gwrs!

Ar ôl i Alana roi'r wisg Indiaidd ddisglair o Ffasiwn Steil amdani, caiff ei chwyrlïo yr holl ffordd i set ffilmio Bollywood yn India!

Wrth ddawnsio gyda sêr hardd y sgrin, mae Alana'n dysgu'r camau gorau i gyd. Ond a fydd hi'n medru llwyddo i wneud Meena'n seren hefyd?